David B.
l'Ascension
du Haut Mal

1

L'Association

collection
éperluette

Préface

Paris, 2 octobre 1996.

Cher David,

Tu m'as demandé, à moi la petite sœur, d'écrire cette préface. J'ai accepté sans hésiter, flattée et touchée. Et parce que j'aime profondément ce que tu as fait.

Tu as reporté dans les cases de cet album les ombres de notre enfance. Je n'en ai pas comme toi des souvenirs aussi denses et aussi exacts. Ma mémoire est comme un tout petit noyau compact et obscur qui renferme le seul savoir qui me soit évident. Ma seule certitude est la maladie de Jean-Christophe : l'épilepsie, le "Haut Mal". C'est drôle, d'ailleurs, je me la suis toujours figurée comme un puissant petit noyau logé dans les méandres de son cerveau.

Toi, tu as toujours eu le souci du détail exact, de la restitution fidèle. Je me rappelle de toute la documentation historique que tu amassais dans ta chambre et qui te servait à reproduire dans tes dessins le costume d'un soldat, le caparaçon d'un cheval... Quand tu étais petit, tu voulais être "professeur d'histoires". C'est chose faite.

Parfois, quelqu'un me demande : "Comment va ton frère ?"
"Bien, il va bien...", et s'ensuit une série d'informations concernant tes travaux en cours, tes projets, tes amours. C'est à ce moment-là que mon esprit se dédouble. En moi-même, je réponds à cette question qui aurait pu porter sur mon AUTRE frère. Mais personne ne connaît mes deux frères, et ma deuxième voix s'étrangle entre cœur et gorge.

Je voudrais parler de nous. De nous trois.
Voici donc le seul souvenir cher à mon cœur : souviens-toi, lorsque nous étions à Bourges, chez Pépé et Mémé. Nous dormions tous les trois dans la même chambre. Jean-Christophe près de la porte, toi à sa gauche et moi dans le petit lit près de l'armoire. Tito, Fafou et Sicoton.
La lumière à peine éteinte, nous atterrissions ensemble sur la planète Mars et chacun décrivait aux deux autres ce qu'il y voyait : créatures extraordinaires, monstres que nous mettions en fuite... grands chasseurs que nous étions. Nous délirions en chœur fraternel et enfantin à pleins tuyaux. Nous finissions par de gigantesques festins de cuisses de dinosaures rôties et de pastèques géantes avant de sombrer un peu ivres dans un sommeil qui départageait cet unisson fugitif et cristallin.

Voilà. Depuis nos épopées, je suis devenue personnage de bande dessinée et maîtresse d'école. Parfois, je croise des enfants qui nous ressemblent.

Je t'embrasse très fort. Je t'aime.

Florence.

Le midi à table, mon père nous raconte la Bible.

J'aime bien ça, surtout quand il y a de la bagarre.

Ma mère, elle nous raconte la conquête du Mexique par Hernán Cortés.

Ça c'est encore mieux parce qu'il n'y a que de la bagarre.

Le soir, avant de nous endormir, elle nous lit un passage de "Michel Strogoff" de Jules Verne.

Ce qui est bien dans "Michel Strogoff" ce sont les Tartares. Ils sont toujours à cheval, ils sont bardés d'armes et ils tuent tout le monde.

3

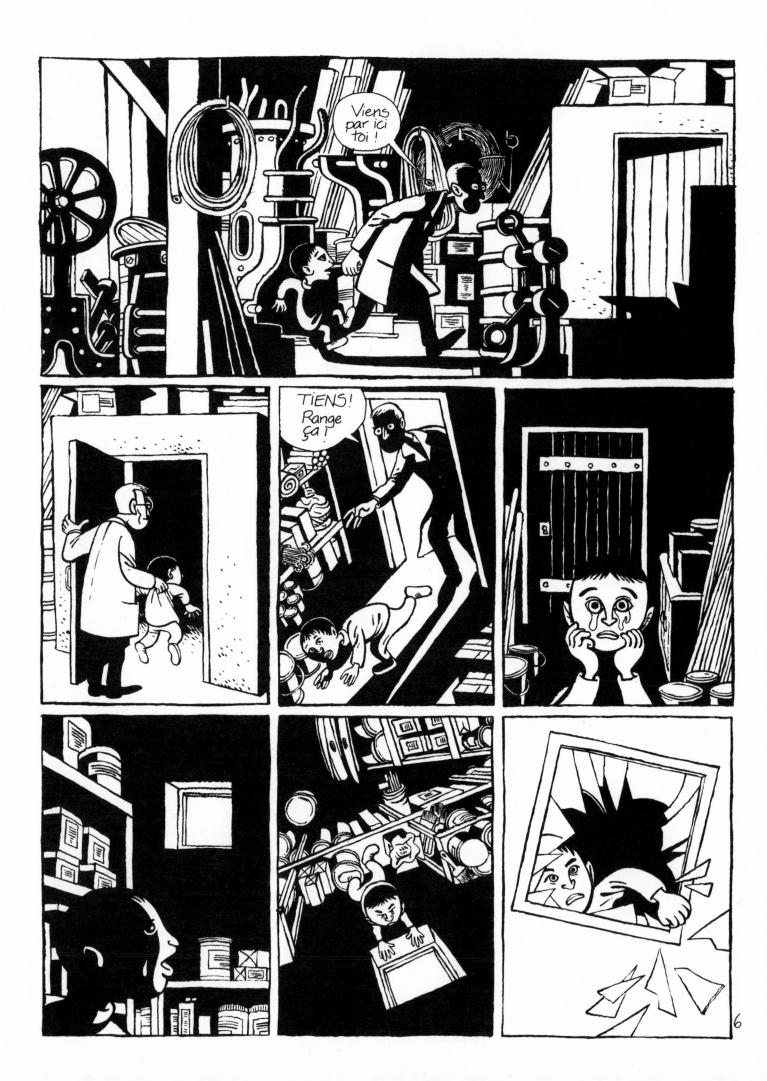

6

9

Dans la ruelle, tout change très vite. Un immeuble et un parking ont été construits sur les ruines de l'entrepôt, une partie de l'ancien bâtiment est conservée.

Chaque jour, un ouvrier mange à l'écart des autres, assis sur le petit mur du parking.

Parmi nous, mon frère est le premier et le seul à lui adresser la parole.

Tu me donnes un morceau de pain ?

Comment tu t'appelles ?

Mohamed.

T'es fou Jean-Christophe ! Il est empoisonné ce pain !

C'est un bécot !

Mais non, un BICOT ! Un bécot c'est quand on embrasse !

?

Moi j'en mangerai pas de son pain. J'ai pas envie de crever !

Je ne suis pas un personnage particulier, je suis un groupe, une armée. J'ai assez de fureur en moi pour cent mille guerriers. J'assimile les crises de mon frère à cette même fureur. Sur quel cheval est-il emporté ?

On retrouve les Mongols dans mon deuxième livre que j'écris et dessine dans un vieil agenda.

AVRIL 18
MARDI - St Parfait   108-257

Pierre François Beauchard
10 ans CM2

Tout pour devenir samouraï roman inventé.

Les personages et l'empereur sont inventés et n'ont pas existé.

Ce livre raconte l'histoire d'un petit garçon jeune homme japonais qui voudrait devenir samouraï. Il se présente à la cour de l'empereur qui se moque de lui. Mais le jeune homme qui s'apelle Tchou-Li montre au roi qu'il peut devenir samouraï. Pour s'avoir ses aventures lisez :

C'est un roman qui se passe en 1281 lors de la tentative de conquête du Japon par Kübilaï Khan.

MERCREDI - St Pascal   137-228

trois mongols lui sautèrent dessus

Il en tua un de son sabre un autre tomba percé d'une flèche le dernier était le comandant de la forteresse aussitôt un cercle se forma autour des deux combatants. Tchou Li dit.

Le roman fait trente-sept pages. Pour finir l'agenda, je crée le personnage de Kikif le martien.

KIKIF
LE MARTIEN

bonjour c'est moi KIKIF

proposez à vos clients :
PATAPON aliments complets pour chiens et chats

Le livre fini, je continue de couvrir des feuilles entières de batailles gigantesques. C'est mon épilepsie à moi.

Je dépense la rage qui m'habite. Jean-Christophe a la même rage mais nous l'exprimons différemment.

19

Un jour, l'abri où se trouvaient ses compagnons avait été écrasé par un obus. Il avait entendu les cris de ses copains qui appelaient à l'aide. Il s'était juré de ne plus y mettre les pieds.

Lors des attaques, il admirait les lieutenants et les capitaines qui sortaient les premiers de la tranchée et qui tombaient souvent les premiers.

Tous ne partageaient pas son avis, dans son unité, un capitaine qui s'était fait détester de ses hommes avait été abattu dans le dos lors du début de l'assaut.

À l'hôpital, la nature suspecte de la blessure avait attiré l'attention du médecin-chef et entraîné une enquête.

Arrêtés par la gendarmerie, les soldats avaient été fusillés.

Au début de la guerre, mon grand-père était avec des gens de son village ou des villages alentour. Bientôt, il fut le seul survivant.

2/3

Le grand amusement de ses copains était de chier dans les livres et de les refermer d'un coup sec.

Ensuite ils se torchaient avec les draps.

Ils raflaient tout et n'importe quoi et partaient chargés comme des mulets.

Et ces prises dérisoires disparaissaient avec eux dans les tranchées.

Une fois, il reçut l'ordre de porter un message. Dès qu'il sortit de la tranchée un bombardement formidable s'abattit sur le secteur où il se trouvait.

Il allait de trous en trous, au hasard des explosions.

Il est resté trois jours sous le bombardement à errer dans le no man's land sans pouvoir en sortir.

Il est arrivé finalement à bon port pour rentrer dans sa tranchée aussitôt le message remis.

Un de ses cousins qui était dans son unité eut le bas du corps écrasé par un obus.

Il agonisa toute la nuit, mon grand-père le veillait.

Avec lui, il y avait une bande de durs qui passaient leur temps à faire des coups de main.

Il ne voulait pas aller avec eux. Il était suffisamment confronté à la violence et à la mort pour ne pas aller chercher un supplément.

Une fois, ils l'ont entraîné, ils cherchaient à manger.

Ils se sont glissés jusqu'à la tranchée allemande et ont égorgé tout le monde. Je ne sais pas comment mais mon grand-père n'a pas participé au massacre. Il gardait un souvenir atroce de cet épisode et disait, après la guerre, qu'il n'avait jamais tué un Allemand.

26

Ils ont pillé, les cadavres et surtout raflé les vivres.

Parfois, les soldats organisaient des trêves pour échanger de la nourriture avec les Allemands. Elles duraient quelques heures et se faisaient avec l'accord des officiers.

À la fin de la guerre, ils avaient décidé une trêve de deux jours contre l'avis des officiers.

Ils en avaient tous assez. Il le disait lui-même, il n'aurait pas supporté que la guerre dure plus longtemps.

Il est rentré dans son village s'occuper de ses vignes. Il n'avait eut qu'une permission au cours de la guerre.

Il me reste un casque cabossé, une médaille et une carte postale.

Cette carte, c'est celle à laquelle je fais allusion dans le rêve "Le lit de mort" dans le Cheval Blême. Elle représente les tranchées allemandes à Carency.

Elle a été envoyée sans doute à mes arrière-grands-parents.

Le 21 Novem

Cher Cousin et Cousine

Pour le moment je suis en bonne santée. J'espère que Gabriel est de même je ne l'ai pas vu depuis quinze jours. Henri Lacaisse qui reste je crois sur la route du Chatelet - a été tué à 28 mètres de moi par une balle le 18 Novembre c'est à dire avant hier...

Gabriel, c'est mon grand-père. Henri, c'est peut-être le cousin qui a agonisé dans ses bras après avoir été touché par un obus.

... C'est malheureux comme nous sommes pas nombreux de Chateaumeil. lant et mon tour viendrat bientôt. Aussi que c'est triste ma jeune cousine - J'en suis malade de cette guerre.
De bon baisers
Henri

2
7

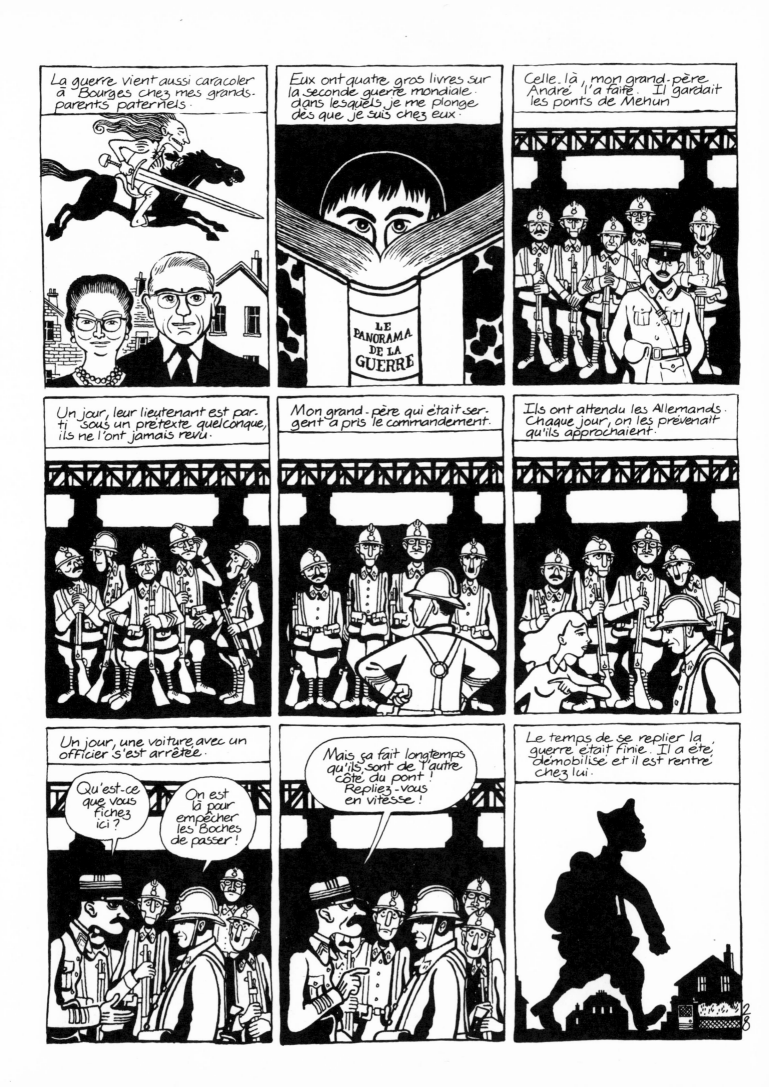

Le train a roulé vers Marseille. En traversant la banlieue parisienne, on voyait des banderoles accrochées aux fenêtres des immeubles.

A BAS LA GUERRE

ALGERIE

RRE NON !

NON

A LA GUERRE

GUERRE

PAIX EN ALGER

HALTE A LA GUERRE

PAIX IMMEDIATE EN ALGERIE

A BAS LA SALE GUERRE

PAIX E ALGE

À mi-parcours, le train s'est arrêté en rase campagne. Je suis descendu pour me dégourdir les jambes.

J'ai fait quelques pas sur le talus. Il y avait des gendarmes dans les fourrés.

L'arrêt était prévu. Pour empêcher les désertions, le train était encerclé par les flics.

À Marseille, ça a été comme à Paris, le train est arrivé jusqu'au bateau, on est descendus de l'un pour monter dans l'autre.

Devant la passerelle il y avait des filles de la Croix-Rouge qui nous donnaient des sandwichs pour la traversée. Elles pleuraient, je me souviens.

En 1968, j'ai neuf ans, mon frère onze. Les événements de mai nous passent au-dessus de la tête.

Ma mère fait la grève. Mon père non.

Mai 68 ça a l'air terrible, mais à Orléans je ne vois rien.

Mon père, y se met à la fenêtre avec le fusil, en cas que les émeutiers y voudraient piller la boulangerie!

Je vois des photos dans Paris-match.

C'est la guerre à Paris maman?

Mais non, Fafou, ce sont les étudiants qui manifestent.

Et je les interprète à ma façon.

L'antipsychiatrie fait son apparition, lancée en France par des gens comme Gilles Deleuze, Félix Guattari, Roger Gentis.

Ce sont des gens comme ça que Jean-Christophe devrait voir.

Tu crois?

Il se crée à Orléans un institut psycho-pédagogique. Jean-Christophe ouvre la marche.

Sa soeur est encore trop petite mais il faudrait que je voie son frère...

Mon père lit la revue "Planète" de Louis Pauwels et Jacques Bergier depuis le premier numéro. J'aime bien regarder les images.

C'est plein de photos, de dessins et de peintures terribles.

Toutes ces images illustrant des articles dont je ne lis que les titres et que je ne comprends pas toujours sont chargées d'une poésie intense.

Première utilisation d'une machine à remonter le temps.

Qui a tué Adam ?

Les Esquimaux hommes du futur.

Un peintre fantastique inconnu.

Lovecraft, ce génie venu d'ailleurs.

Un cathare aujourd'hui.

Des intelligences extra-terrestres.

Moi qui ne vivait que pour la guerre et les batailles, je découvre un nouveau monde. Un monde fantastique qui s'ouvre sur le futur, l'histoire, les religions.

Je n'en ai pas encore les clefs, je l'adapte à mon univers du moment. Je dessine alors des batailles extraordinaires où les Mongols de Gengis Khan font place à des régiments de fantômes, de robots et de diables.

38

Mes parents sont bouleversés par les risques qu'entraîne l'opération. La morgue des médecins les glace.

Jean-Christophe est le "cas". Il va permettre au professeur T. de réaliser une brillante opération.

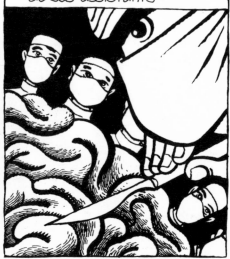

Qu'importe le résultat pourvu que le praticien tranche avec élégance et précision sous les yeux émerveillés de ses assistants.

Dans le numéro seize du "Nouveau Planète", mon frère lit un article sur Georges Oshawa, le fondateur du zen-macrobiotique.

Dans l'article, il trouve un tableau : "Les 7 étapes de la maladie".

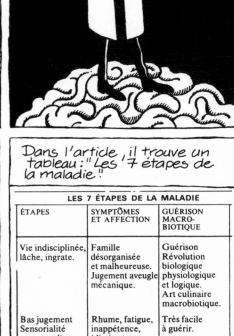

LES 7 ÉTAPES DE LA MALADIE		
ÉTAPES	SYMPTÔMES ET AFFECTION	GUÉRISON MACROBIOTIQUE
Vie indisciplinée, lâche, ingrate.	Famille désorganisée et malheureuse. Jugement aveugle mécanique.	Guérison Révolution biologique physiologique et logique. Art culinaire macrobiotique.
Bas jugement Sensorialité gourmandise.	Rhume, fatigue, inappétence, idiotie, imbécilité, lèpre, épilepsie, constitution paranoïaque.	Très facile à guérir.
Excès de Yin ou Yang.	Maladie du sang, anémie, leucémie, hémophilie, allergie, impuissance, appendicite,	Facile à guérir, quelques semaines

Je voudrais essayer ça avant d'être opéré !

Georges Oshawa est né à Kyoto en 1893. Atteint de tuberculose, il est condamné par la médecine occidentale qui, au Japon, a remplacé la médecine traditionnelle.

Il étudie cette médecine, l'utilise pour se soigner et guérit. Il décide de consacrer sa vie à propager la doctrine qu'il a élaborée sur les bases des médecines orientales.

En 1930 il vient étudier à Paris. Il suit des cours de philosophie, d'histoire, de biologie, de physiologie, de chimie, de biochimie. Il publie son premier livre "Le principe unique" avant de retourner au Japon.

Voilà la représentation de l'univers selon G. Oshawa. Il se déroule le long d'une spirale.

Vie primordiale.

Matérialisation inorganique de la vie.

Vie organique.

Septième ciel.	Univers infini, expansion infinie.
Sixième ciel.	Polarisation Yin - Yang.
Cinquième ciel.	Energie.
Quatrième ciel.	Electrons, protons.
Troisième ciel.	Atomes, planètes.
Second ciel.	Végétaux.
Premier ciel.	Animaux.

Toute sa doctrine repose sur l'équilibre du Yin et du Yang. Ce sont des principes complémentaires mais pas opposés.

Selon la légende, ils auraient été inventés par Fo-hi, le grand organisateur, l'un des trois augustes de l'histoire mythique de la Chine.

Il aurait également inventé l'écriture, les huit trigrammes et la cuisson des aliments. Ce qui est bien pratique pour faire du riz complet.

D'après les historiens, la création du Yin et du Yang remonterait au quatrième siècle avant J.C sous la dynastie Zhou.

47

Jouons. Lecteur, sauras-tu reconnaître dans le dessin ci-dessous les éléments Yin et les éléments Yang ?

L'application du principe Yin et Yang est "la grande vie" : macro bios.

La macrobiotique a pour but, à l'aide de régimes alimentaires, de rétablir en chacun l'équilibre du Yin et du Yang.

Il y a sept étapes dans le développement de la maladie. Il y a sept régimes pour la combattre.

Plus la maladie est grave, plus le régime est sévère. Le régime numéro sept consiste à manger uniquement des céréales.

Il y a sept conditions pour être en bonne santé. La condition numéro trois est un sommeil sans rêve.

Pourtant, le rêve est absolument nécessaire à l'équilibre de l'homme.

48

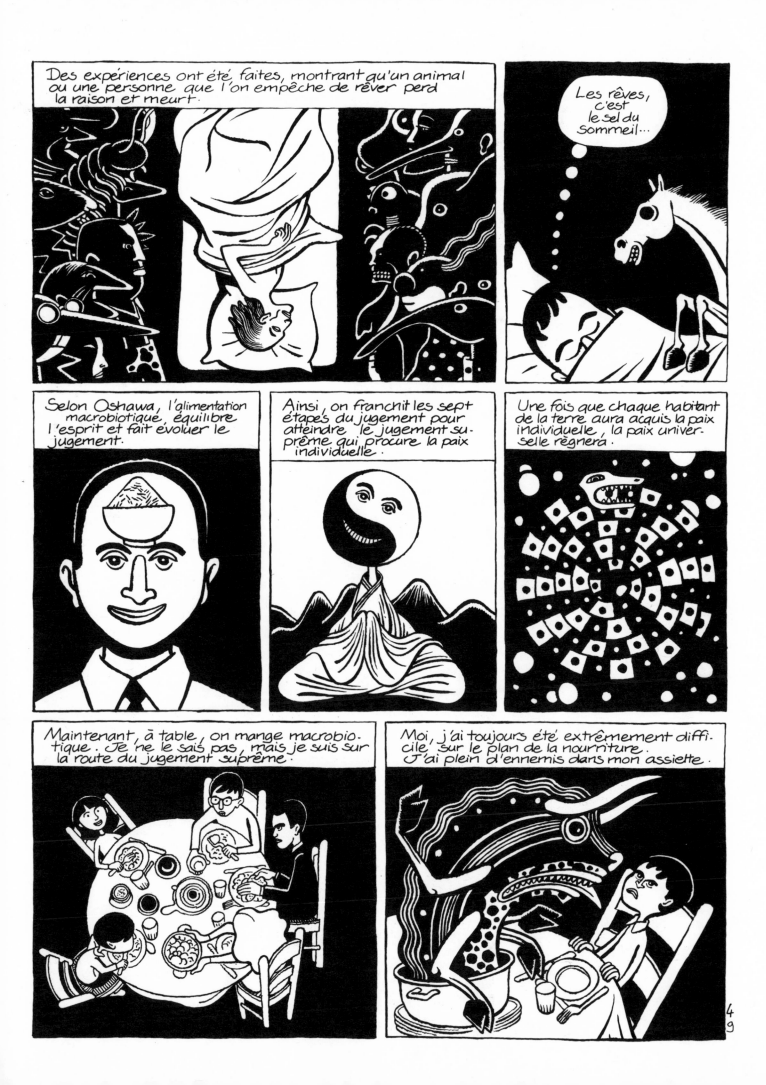

Des expériences ont été, faites, montrant qu'un animal ou une personne que l'on empêche de rêver perd la raison et meurt.

Les rêves, c'est le sel du sommeil...

Selon Oshawa, l'alimentation macrobiotique, équilibre l'esprit et fait évoluer le jugement.

Ainsi, on franchit les sept étapes du jugement pour atteindre le jugement suprême qui procure la paix individuelle.

Une fois que chaque habitant de la terre aura acquis la paix individuelle, la paix universelle règnera.

Maintenant, à table, on mange macrobiotique. Je ne le sais pas, mais je suis sur la route du jugement suprême.

Moi, j'ai toujours été extrêmement difficile, sur le plan de la nourriture. J'ai plein d'ennemis dans mon assiette.

4
9

Dixième Volume de la Collection Éperluette,
L'Ascension du haut mal, Volume 1, de David B.,
a été achevé de réimprimer en juin 2010
sur les presses de l'imprimerie Grafiche Milani, Italie.
Dépôt légal quatrième trimestre 1996.
Septième édition. ISBN 978-2-909020-73-0.
©L'Association, *16 rue de la Pierre-Levée,*
75011 Paris. Tél. 01 43 55 85 87,
Fax 01 43 55 86 21.